CUISINE POUR 1 PERSONNE

Gudrun Hetzel-Kiefner

Photos
Odette Teubner, Kerstin Mosny

Traduction
Elisabeth Fortunel

Adaptation
Elisa Vergne

D1361086

HACHETTE / CIL

table des matières

Il existe encore trop de personnes qui, vivant seules, estiment que cuisiner pour soi n'en vaut pas la peine. C'est dommage, car de nombreuses recettes sont parfaitement nourrissantes et ne prennent que peu de temps. Plutôt que de manger rapidement, debout dans la cuisine, n'importe quoi sorti directement du réfrigérateur, on peut, avec un minimum d'organisation, se préparer de bons petits plats, et y prendre plaisir.

Ce petit livre vous propose des recettes d'une facilité de préparation surprenante, concoctées avec un minimum d'ingrédients et qui demandent très peu de travail. Mais elles répondent néammoins à toutes les exigences d'une alimentation saine : beaucoup de légumes, un apport important de glucides grâce aux céréales, des œufs, du poisson, de la viande et du sucre en quantité modérée.

Les personnes vivant seules ne disposent généralement pas d'une "super" cuisine aménagée. Tous les plats proposés dans ce recueil peuvent être réalisés sur une cuisinière à un ou deux feux et, pour les gratins, gâteaux et pizzas, dans n'importe quel four. De plus, vous trouverez des conseils concernant l'achat des produits, la meilleure façon de les conserver ou bien encore quels ustensiles à avoir obligatoirement. Quant aux photos qui

Une jolie vaisselle sur un set... il n'y a plus qu'à passer à table!

accompagnent les recettes, elles sont là non seulement pour vous inciter à cuisiner en vous mettant l'eau à la bouche, mais aussi à compléter "visuellement" votre information.

L'ÉQUIPEMENT DE CUISINE

Si vous possédez dans votre cuisine les dernières nouveautés en matière d'appareils ménagers, tant mieux ! Sinon, ne vous inquiétez pas : bien souvent, le plaisir de cuisiner et d'improviser pallient les lacunes de l'équipement !
Il suffit d'avoir une cuisinière à deux feux (ou une plaque électrique) et un four pour pouvoir tout préparer.
Pour bien faire, votre réfrigérateur devrait comporter un compartiment de congélation à 2 ou 3 étoiles, qui permet de conserver des plats à demi préparés comme la pâte feuilletée ou des légumes à partir desquels il vous sera facile et rapide d'établir un repas. Il permet

Aucun problème pour se procurer de petites casseroles.

également de conserver des plats tout préparés, généralement plus attirants que ceux vendus dans le commerce. Si une recette pour plusieurs personnes vous fait envie, réalisez-la et faites-en des portions à mettre au congélateur. Les restes aussi peuvent être surgelés, ce qui vous évite de consommer deux jours de suite la même chose.
Pour ceux qui reçoivent rarement, le mini-four est très pratique. Il permet en effet des économies de place et d'énergie.

LA BATTERIE DE CUISINE

Ceux qui aiment faire la cuisine et disposent de suffisamment de place,

de rangement et d'argent, pourront se réjouir de la variété de casseroles, cocottes, poêles, etc. disponibles sur le marché. Pourtant, si l'on peut se procurer des casseroles adaptées à chaque usage (asperges, pâtes, viandes, poissons...), seule une sauteuse de 16 cm de diamètre reste véritablement indispensable. Vous pourrez y faire sauter les légumes ou la viande, y faire cuire le riz. Pour les pâtes ou une soupe à la viande, il vous faudra une plus grande casserole d'une contenance de 3 litres environ et un couvercle. Ajoutez une poêle de 18 à 22 cm de diamètre, et vous voilà en possession du strict minimun pour tout (ou presque) réussir. Si vous faites souvent frire les aliments, ne lésinez pas sur l'achat d'une seconde poêle. Prenez-la en fonte ou, si c'est trop lourd, à fond épais : de cette façon les plats à base d'œufs ou de pommes de terre n'attacheront pas. Choisissez des ustensiles en acier, surtout pour les casseroles. Ils demandent peu de matières grasses pour la cuisson et sont d'un entretien facile. Mais vérifiez bien qu'ils ont un fond épais ! Alors que dans une casserole émaillée vous devez cuire à feu vif, l'acier vous permet de mettre à feu doux ou tout au plus à feu moyen. Veillez à ne pas prendre des casseroles ou des poêles dont le manche ou les poignées sont en plastique. Vous pourrez ainsi les utiliser pour faire réchauffer ou gratiner un plat.

Une petite cocotte en terre cuite n'est pas indispensable mais est bien pratique !

La cuisson demande plus de temps mais moins de surveillance, ce qui vous permet de faire simultanément autre chose. Les Cocottes-minute de petite taille apportent un gain de temps appréciable. Les pommes de terre par exemple y cuisent en 12 à 15 mn, le riz complet, qui d'ordinaire nécessite 45 mn, y est prêt en 10 mn. Si vous faites souvent des gratins ou des gâteaux, munissez-vous des moules appropriés : petits moules à gâteau, ramequins, moules à tartelettes, petit moule à kouglof.

Un moule carré en métal ou en céramique peut convenir aussi bien à des gratins qu'à des lasagnes ou à un rôti, si vous avez des invités. La plaque à pâtisserie sert à faire cuire des gâteaux, un moule ovale ou rond de 5 cm environ de profondeur des gratins et des soufflés.

Quant aux divers et variés saladiers en acier (aux couvercles en plastique), ils permettent de multiples usages : conserver les aliments au réfrigérateur, réchauffer des plats sur le feu ou au four, ou combler les "défaillances" en servant de casseroles et de moules de réserve.

LES USTENSILES

Il existe un choix étendu d'ustensiles magnifiques et étincelants. Avant d'acheter, réfléchissez bien à ce qu'il vous faut et privilégiez la qualité plutôt

Écraser, hacher, éplucher ou moudre... les ustensiles d'aujourd'hui simplifient la vie.

que la quantité.
Le plus important est le couteau. Choisissez de préférence une bonne marque et prenez-le avec une lame en acier et un manche lourd. N'allez pas à l'économie : une bonne pièce coûte autant sinon à peine plus qu'un médiocre ensemble de cinq couteaux en promotion. Le poids du manche aide à couper. Vous déployez moins de force et la lame glisse d'elle-même à travers ce que vous coupez. Affutez-la au besoin sur une pierre à aiguiser. Munissez-vous également d'un simple éplucheur à légumes pour retirer la peau des tomates, des poivrons ou des pommes. Pour couper les produits, ayez toujours une planche à découper assez grande, ou mieux deux, afin d'en réserver une aux oignons et à l'ail. Le rasoir à légumes vous permettra d'éplucher les pommes de terre, les pommes, ainsi que les asperges, les carottes et autres. Avec une grosse râpe, vous pourrez couper en fines lamelles les légumes crus mais aussi le fromage et le chocolat. Choisissez-la en acier, la rouille vous ferait vite

Cuisiner avec les ustensiles appropriés renforce le plaisir et fait gagner du temps.

regretter d'avoir économisé quelques sous !
Préférez le pilon à purée au mixeur ou au robot de cuisine, plus utiles pour les familles nombreuses. Il permet aussi d'écraser les aliments directement dans la casserole, sans transvasement, ce qui représente un gain de temps.
En revanche, vous aurez tout intérêt à acheter un hachoir électrique car il n'est pas toujours facile d'obtenir d'un boucher,

aussi aimable soit-il, 125 g de veau ou 150 g d'agneau hachés.
Certains se contentent de fouetter la crème à la fourchette, mais l'acquisition d'un fouet électrique n'est pas un luxe !
Dans une grande passoire à gros trous, vous laverez les fruits, la salade, passerez les pâtes.
Une autre, plus fine, vous permettra d'égoutter le riz et autres céréales, de filtrer les sauces

ou de saupoudrer les desserts de sucre en poudre.

Enfin, n'oubliez pas un pinceau de cuisine pour graisser les moules ou les rôtis, une cuillère en bois pour tourner (pas en plastique, car elle pourrait fondre à la chaleur), une spatule en caoutchouc pour bien racler le fond des casseroles et des saladiers, une louche et une écumoire ainsi qu'un verre gradué de 1/2 litre rétréci à sa base, qui mesure avec plus de précision les petites quantités, et un gobelet à bords droits.

COMMENT ET QUOI ACHETER

Dans de nombreux magasins, les clients pèsent maintenant eux-mêmes leurs légumes.

Une personne seule peut donc acheter sans problème le petit poivron, les deux tomates et l'oignon dont elle a besoin pour préparer son repas. Mais de plus en plus, bouchers, boulangers et magasins de fruits et légumes répondent à ce genre de demande, tout particulièrement si la personne est bonne cliente. Les boutiques de diététique ou de produits naturels sont aussi intéressantes pour les fines bouches que pour ceux qui recherchent des produits sains. C'est là qu'on trouve le meilleur lait, les pommes les plus savoureuses, les lentilles les plus petites et les plus fines...

Où que vous fassiez vos achats, prenez toujours les produits en petites quantités que se soit de la viande, du lait, des légumes ou de l'huile de noix (1 litre aura le temps de rancir) ou du muesli (un paquet de 1 kg prend un curieux goût de moisi au bout de quelque temps). Paradoxalement, les achats en grande quantité, économiques au premier abord, finissent par coûter cher.

Il est essentiel d'acheter les légumes et les fruits de saison et de surveiller les promotions qui en sont faites. Toutefois vous ne rapporterez pas à la maison de choux en automne, sauf si vous recevez des amis. Et si vous vous laissez tenter par un chou-fleur, n'oubliez pas qu'il vous fera plusieurs repas de suite (sauf si vous le surgelez).

Voici un choix de légumes qu'on peut se procurer en petites quantités et qui demandent peu de préparation : champignons, épinards, légumes-feuilles, tomates, poivrons, courgettes, fenouil, endives, carottes, aubergines ainsi que choux de Bruxelles, asperges et artichauts, dont il est aisé de faire des portions.

Ceci n'est pas le cas des choux (chou-fleur, du chou vert, etc.) et des céleris-raves.

Les salades bien adaptées aux personnes seules sont la mâche, les endives et la chicorée rouge. Les laitues, feuilles de chêne et autres sortes à feuilles tendres doivent être utilisées d'un

*Choisissez de préférence
des légumes petits et vite cuits.*

Ayez toujours dans le placard à provisions différentes sortes de pâtes et du riz.

Le vinaigre se conservant sans limite, vous pouvez en avoir de plusieurs sortes en réserve.

jour sur l'autre, car elles fanent relativement vite. Les endives, la frisée, la romaine tiennent plus longtemps.

Si vous ne faites les courses qu'une fois par semaine, prévoyez des fruits ou des légumes qui se conservent plus longtemps comme les pommes, les carottes, etc. Ainsi, vous aurez encore des produits frais à la fin de la semaine.

Au rayon charcuterie, n'hésitez pas à répondre "oui" à la question "Ce sera tout ?".

LES PROVISIONS

Vos réserves doivent rester bien à l'abri. Les produits comme la farine par exemple doivent être conservés, une fois ouverts, dans des bocaux fermés. Sinon, toutes les odeurs d'épices de votre placard à provisions risquent d'imprégner les flocons d'avoine, la farine, le thé. Les produits alimentaires, dont la liste suit, se conservent six mois ou plus. Les pâtes, complètes ou non, le riz blanc et le riz complet (plus sain et de meilleur goût qui rancit un peu quand il est stocké trop longtemps) se conservent pratiquement indéfiniment. Les céréales en grains (le blé vert est idéal car il cuit rapidement en 25 mn sans trempage préalable) sont menacées par des parasites. En cas d'attaque sérieuse, jetez-les. Sinon, chassez les importuns en secouant fréquemment le récipient. Surveillez de temps à autre l'état des légumes secs qui doivent être lisses et brillants ; ternes et ratatinés, ils ont perdu leur fraîcheur et sont beaucoup plus long à cuire. Les lentilles sont idéales pour la cuisine en solo car elles ne demandent pas de trempage et cuisent vite. La farine blanche tient longtemps, mais la farine complète doit être fraîchement moulue. Si vous n'avez pas de moulin à céréales, faites-la moudre dans votre magasin de produits naturels. Le sucre en morceaux et en poudre tiennent "éternellement", à condition de ne pas souffrir de l'humidité. Avec le temps, le miel peut devenir visqueux ou cristalliser. Il se fluidifie au bain-marie. Les noix, à la saveur particulièrement fine, rancissent très vite et ne doivent pas être conservées plus de neuf mois. Les flocons d'avoine, trop longtemps ouverts, deviennent fades. Un flacon d'huile peut se conserver des années tant qu'il n'est pas ouvert. Dès qu'il l'est, la durée de conservation de l'huile devient limitée. N'achetez donc que de petites bouteilles et contentez-vous d'une ou deux sortes, d'olive forte et de tournesol douce, par exemple.

En revanche, le temps n'altérant pas la qualité du vinaigre, vous pouvez en avoir plusieurs variétés en réserve. Prenez, par exemple, un bon vinaigre de vin rouge, un vinaigre de xérès, un vinaigre de vin blanc aromatisé aux échalotes, un vinaigre de cidre (bon pour la santé) et un vinaigre de framboises (pour le plaisir).

Le concentré de tomates en tube est très utile pour une personne seule ainsi que la mayonnaise, la purée de piment et la pâte d'anchois. La moutarde, elle, est de meilleure qualité dans les pots en verre. Pensez à avoir des tablettes de consommé et, pour les cas d'urgence, disposez de quelques conserves (petits pois, bocaux de cerises ou d'abricots). Ne conservez que de petites quantités d'épices et d'herbes séchées, car elles perdent peu à peu leur arôme. L'acquisition de fines

herbes en pots est recommandée. En effet, le bouquet de persil acheté au marché, souvent énorme, ne se conserve pas plus de deux ou trois jours. En revanche, avoir un pot de persil, de basilic et de thym ou de sauge sur l'appui d'une fenêtre, vous permet d'aromatiser finement plusieurs plats.

Si le compartiment de congélation de votre réfrigérateur est trois ou quatre étoiles, n'hésitez pas à surgeler des légumes, quelques scampi, de la glace et un paquet de framboises.

Des invités surprise ne vous prendront pas en défaut. Pour vous-même, préparez d'avance quelques portions de votre plat préféré et surgelez-les.Le beurre, la crème et les œufs se conservent au réfrigérateur entre deux et quatre semaines. Mais conservez dans un endroit frais, aéré et sombre, les oignons, échalotes, ail et pommes de terre.

Une bonne façon d'avoir toujours des herbes fraîches sous la main : les petites plantations en pots.

GAGNER DU TEMPS

Vous pouvez avoir préparé d'avance les sauces de salade qui ne contiennent pas de lait, comme la traditionnelle vinaigrette (vinaigre et huile) avec ou sans moutarde. Elle se conserve au moins deux semaines dans un bocal et a meilleur goût que la préparation vendue dans le commerce.

Les sauces mélangées à froid pour les pâtes (à base d'huile, d'épices et d'herbes et/ou de noix) sont encore bonnes au bout de deux semaines. Si vous cuisinez régulièrement, vous pouvez prévoir plusieurs repas et, en conséquence, préparer une quantité de pâtes suffisante pour deux fois (le plat de pâtes du lendemain ou surlendemain sera vite prêt). Faites de même avec le riz (vous ferez un riz sauté aux légumes ou un gratin), les pommes de terre (vous préparerez à la poêle de petits palets épicés au fromage blanc) ou encore les légumes (ils serviront à réaliser un bon potage).

La vinaigrette aux herbes préparée à l'avance se conserve deux semaines dans un bocal hermétiquement fermé.

CONSERVER

Munissez-vous d'une série de saladiers en acier avec couvercle ou de boîtes en plastique fermant hermétiquement qui préservent la fraîcheur des produits et protègent des odeurs fortes les autres aliments du réfrigérateur. Sans couvercle, utilisez un film de plastique alimentaire ou une feuille d'aluminium ménager. Pensez cependant à ne jamais mettre cette dernière en contact avec de l'acide. N'y enveloppez pas, par exemple, du poisson avec du citron, car cela détache des particules d'aluminium qui se retrouvent ensuite dans la nourriture.

RÉCHAUFFER

Le four à micro-ondes est parfait pour réchauffer très rapidement les plats. À défaut, recourez au bon vieux bain-marie : mettez un saladier sur une casserole remplie d'un peu d'eau. Le contenu du saladier est réchauffé sans être desséché ni brûlé.

AVOCAT AUX CREVETTES

rapide à préparer

Ce plat contient environ :
760 cal. Protides 14 g.
Lipides 76 g. Glucides 5 g.

Préparation : 5 mn environ.

- *50 g de crevettes décortiquées*
- *1 petit avocat bien mûr*
- *2 cuil. à soupe de yaourt*
- *1 cuil. à soupe de crème fraîche*
- *1 cuil. à café de concentré de tomates*
- *1 cuil. à soupe de jus de citron*
- *sel*
- *poivre blanc du moulin*

1. Mélanger le yaourt, la crème fraîche et le concentré de tomates. Poivrer et saler.

2. Incorporer les crevettes au mélange.

3. Couper l'avocat en deux dans la longueur, retirer le noyau, asperger la chair de jus de citron et garnir les deux moitiés avec le mélange aux crevettes.

♦ Ce fruit en forme de poire, que les Aztèques appelaient "le beurre de la forêt", a des avantages qui le prédestinent aux préparations culinaires de personnes seules. Il se présente déjà en "portions" et ne demande au-cun travail de transformation. C'est aussi un fruit très sain, à forte teneur en acides gras non saturés, vitamines et minéraux ! Cette préparation aux crevettes constitue un bon dîner pour une personne ou une entrée pour deux. Elle s'accompagne très bien de toasts.

CONSEIL !

Si vous ne voulez man-ger qu'un demi-avocat, vous pouvez conserver l'autre moitié un jour tout au plus, en y lais-sant le noyau et en posant 2 ou 3 demi-ron-delles de citron sur la partie coupée.

PURÉE D'AVOCAT RELEVÉE

raffiné

Ce plat contient environ :
670 cal. Protides 7 g.
Lipides 68 g. Glucides 7 g.

Préparation : 10 mn environ.

- *1 tomate*
- *1 petit avocat bien mûr*
- *1 petit oignon*
- *1 gousse d'ail*
- *1 ou 2 cuil. à soupe de jus de citron*
- *1 pincée de sucre*
- *1 pincée de piment de Cayenne*
- *un peu de persil*
- *sel*
- *poivre noir du moulin*

1. Hacher très fin l'oignon et l'ail (ils sont consommés crus). Ébouillanter et peler la tomate, retirer les pépins et couper la chair en morceaux.

2. Ouvrir l'avocat, retirer le noyau, ôter la chair et l'écraser dans un saladier à la fourchette. Ajouter le jus de citron.

3. Mélanger à l'avocat l'oignon, l'ail et la tomate. Assaisonner de piment de Cayenne, de sel, de poivre et de sucre. Décorer avec le persil.

♦ La purée d'avocat est aussi bonne sur des toasts que sur du pain complet. Sa richesse en li-pides permet d'éviter l'emploi de beurre.

En haut : purée d'avocat relevée.
En bas : avocat aux crevettes.

YAOURT MAISON

Faire son yaourt soi-même est conseillé à tous ceux qui aiment ce produit et en consomment beaucoup. Sa préparation est simple, son coût réduit et son goût délicieux ! Il vous faut seulement des petits pots en verre munis de couvercle ou un bocal de 1,25 litre et un endroit chaud : un appui de fenêtre ensoleillé en été et une place près du chauffage en hiver ou un four chauffé à 50 °C.

Mettre à chauffer dans une casserole 1 litre de lait, jusqu'au dégagement d'une épaisse vapeur (à 80 °C, si vous avez un thermomètre de cuisine). Le lait doit être très chaud mais ne pas bouillir. Puis laisser refroidir jusqu'à 40 °C.

Mélanger au lait le contenu de 1 yaourt à l'aide d'un fouet à main ou au batteur électrique. Il ne doit pas rester de morceaux, car le yaourt serait grumeleux. Verser dans chaque bocal l'équivalent de 1 yaourt (12,5 cl). Fermer les pots, les entourer de papier journal et éventuellement le tout encore d'un vieux chiffon. Laisser 8 h au chaud puis mettre à mûrir au réfrigérateur.

SALADE AU TABOULÉ

demande du temps

Ce plat contient environ : 290 cal. Protides 16 g. Lipides 8 g. Glucides 39 g.

Préparation : 1 h.

- *1 carotte*
- *1 tomate*
- *1 pot de fromage de chèvre frais*
- *2 cuil. à soupe de semoule à couscous fine*
- *2 cuil. à soupe de persil plat finement haché*
- *2 cuil. à soupe de jus de citron*
- *1 cuil. à soupe d'huile d'olive*
- *sel*
- *poivre du moulin*

1. Mettre la semoule dans un bol et l'arroser avec 2 cuillerées à soupe d'eau. Saler. Laisser gonfler.

2. Laver et râper la carotte, l'arroser avec la moitié du jus de citron. Laver la tomate, ôter les graines et la hacher avec un couteau.

3. Mélanger le fromage avec le reste du jus de citron, le persil, la tomate, l'huile, du sel et du poivre. Mélanger le tout avec la semoule et laisser reposer au moins 30 mn.

4. Pour servir ajouter la carotte à la préparation précédente.

COLLATION AU YAOURT

bon marché

Ce plat contient environ : 160 cal. Protides 8 g. Lipides 10 g. Glucides 9 g.

Préparation : 10 mn environ.

- *1 grosse tomate*
- *150 g de yaourt (du commerce ou "maison")*
- *1 cuil. à soupe de fines herbes fraîches hachées*
- *1 cuil. à soupe de graines de sésame*
- *sel*
- *poivre du moulin*

1. Faire griller légèrement les graines de sésame, sans huile, dans une poêle.

2. Laver et couper en petits morceaux la tomate. Mélanger le yaourt, la tomate, les herbes et le sésame, saler, poivrer. Vous dégusterez cela avec des galettes de pain disponibles dans les boutiques de produits turcs ou avec du pain complet.

En haut : collation au yaourt.
En bas : salade au taboulé.

FROMAGE FRAIS ÉPICÉ

rapide à préparer

Ce plat contient environ :
200 cal. Protides 7 g.
Lipides 19 g. Glucides 1 g.

Préparation : 5 mn environ.

- *50 g de fromage de brebis (genre feta)*
- *1 gousse d'ail*
- *6 à 8 feuilles de basilic*
- *1 cuil. à soupe d'huile d'olive*
- *poivre noir du moulin*

1. Hacher finement l'ail et le basilic.

2. Écraser le fromage à la fourchette dans un saladier, incorporer l'ail, le basilic et l'huile.

3. Moudre dessus un peu de poivre noir.

♦ Délicieux avec tous les pains, il l'est encore plus avec de la baguette complète.

♦ Le fromage de brebis en saumure, au goût très fort, fait également partie des fromages frais. Préparé avec de l'huile et des herbes, il se transforme en un savoureux fromage à tartiner.

VARIANTE

Si vous préférez les saveurs plus douces, vous pouvez remplacer le fromage de brebis par un fromage de vache double-crème, l'ail par des noisettes pilées, le basilic par du persil et mélanger le tout avec de la crème fraîche à la place de l'huile d'olive. Saler légèrement.

SALADE DE COURGETTES

rapide à préparer

Ce plat contient environ :
95 cal. Protides 2 g.
Lipides 8 g. Glucides 3 g.

Préparation : 5 mn environ.

- *1 ou 2 courgettes*
- *le jus de 1/2 citron*
- *1 cuil. à soupe d'huile de noix (ou d'huile d'olive)*
- *un peu de fines herbes fraîches pour saupoudrer le plat*
- *sel*
- *poivre du moulin*

1. Laver les courgettes et les couper en rondelles aussi fines que possible en les passant sur une râpe à chips.

2. Disposer les rondelles sur une assiette, arroser avec le jus de citron, saler, poivrer et verser l'huile dessus. Saupoudrer avec les herbes hachées.

♦ Il existe peu de salades vertes adaptées à des repas en solo à l'exception de la chicorée rouge qui constitue une portion ou de la mâche dont on peut acheter une poignée. Vous pouvez assurer plus facilement votre régime crudités avec des légumes, comme les courgettes par exemple qui sont très bonnes crues si elles ne comportent que peu de graines et sont coupées très fin. L'huile de noix accentue la légère saveur de noix du légume.

VARIANTE

L'assiette de crudités est vite préparée et aussi saine que savoureuse. Disposer sur une assiette des courgettes et des carottes râpées avec des champignons coupés en lamelles. Faire une sauce avec du jus de citron, du sel, du poivre et un peu de moutarde et en arroser les légumes. On peut varier indéfiniment le choix des légumes (des tomates, du céleri, des radis, du concombre et du chou-fleur...).

En haut : fromage blanc épicé.
En bas : salade de courgettes.

SALADE DE LÉGUMES AU COMTÉ

demande du temps

Ce plat contient environ :
600 cal. Protides 26 g.
Lipides 33 g. Glucides 48 g.

Préparation : 45 mn environ.

- *2 oignons blancs ou 1 petit poireau*
- *1 carotte*
- *1 petite chicorée rouge*
- *1 morceau de concombre*
- *1 tomate*
- *1 petit poivron jaune*
- *1 petite poignée de fines herbes fraîches*
- *50 g de comté*
- *50 g de riz*
- *1 cuil. à soupe de vinaigre de vin blanc ou de fruit*
- *1 cuil. à café de moutarde de Dijon*
- *1 cuil. à soupe d'huile d'olive*
- *sel*
- *poivre du moulin*

1. Porter à ébullition 0,5 litre d'eau froide salée, y jeter le riz et laisser cuire 20 mn.

2. Pendant ce temps, préparer les légumes et le fromage et faire la sauce. Laver les oignons et les découper en rondelles fines. Laver la carotte et la couper aussi en rondelles fines. Laver la chicorée rouge, éplucher le concombre, le couper en deux dans la longueur et retirer les graines avec une petite cuillère puis le couper en rondelles. Couper en morceaux la tomate, le poivron et le fromage. Verser le tout dans un saladier.

3. Mélanger le vinaigre, la moutarde et du sel, ajouter l'huile en tournant le mélange.

4. Hacher les herbes.

5. Rincer rapidement le riz à l'eau froide dans une passoire. L'ajouter aux légumes et arroser le tout avec la vinaigrette.

6. Assaisonner avec le poivre et les herbes.

VARIANTE

Vous pouvez varier cette salade à votre goût. Remplacez le comté par du fromage suisse Tête de moine, du vieux gouda ou de la tomme de brebis des Pyrénées, le riz par du blé vert ou de l'épeautre (en prolongeant le temps de cuisson). L'huile de noix donne une autre saveur et vous pouvez ajouter encore des câpres, de l'ail ou des cornichons.

MÂCHE AUX NOIX

raffiné

Ce plat contient environ :
220 cal. Protides 5 g.
Lipides 21 g. Glucides 5 g.

Préparation : 10 mn environ.

- *75 g de mâche*
- *2 branches de persil plat*
- *1 oignon blanc ou 1 échalote*
- *4 ou 5 noix*
- *1 cuil. à soupe d'huile de noix*
- *1/2 cuil. à soupe de jus de citron*
- *1 pincée de sucre*
- *sel*
- *poivre du moulin*

1. Laver soigneusement la mâche afin de ne laisser aucune particule de sable. Laver et hacher le persil, couper l'oignon blanc en rondelles extrêmement fines ou l'échalote en tout petits morceaux. Hacher grossièrement les cerneaux.

2. Mélanger l'huile au jus de citron. Ajouter le sel, le poivre et le sucre.

3. Saupoudrer le plat avec les noix hachées avant de servir.

En haut : salade de légumes au comté.
En bas : mâche aux noix.

FEUILLETÉS AU FROMAGE DE BREBIS

facile - raffiné

Les deux feuilletés contiennent environ : 710 cal. Protides 22 g. Lipides 5 g. Glucides 40 g.

Préparation : 30 mn environ.

- *125 g de pâte feuilletée*
- *1 petit œuf*
- *75 g de fromage de brebis*
- *un peu de persil plat*
- *1/2 cuil. à café de paprika doux*
- *poivre noir du moulin*

♦ Si vous utilisez de la pâte feuilletée surgelée, coupez 1 pain de 250 g en deux à l'aide d'un couteau cranté à surgelés et remettez immédiatment la moitié non utilisée dans le congélateur. Laissez dégeler la pâte à température ambiante ou employez le four à micro-ondes.

1. Hacher le persil et écraser le fromage de brebis dans un saladier. Préchauffer le four à 200 °C.

2. Casser l'œuf dans un saladier et le battre au fouet. En incorporer la plus grande partie au fromage et réserver le reste pour dorer les feuilletés. Mélanger le fromage et l'œuf avec le persil, le paprika et une bonne pincée de poivre.

3. Abaisser la pâte en une forme approximativement carrée. Placer au milieu la moitié de la préparation au fromage. Refermer les carrés de pâte en diagonale de façon à former des triangles. Bien refermer les bords en appuyant et cranter les "coutures" avec une fourchette.

4. Dorer les triangles au pinceau avec le reste d'œuf battu. Enfourner les feuilletés à mi-hauteur à 200 °C et laisser cuire environ 15 mn. Ils doivent être croustillants et doré foncé.

CHICORÉE ROUGE À LA DINDE

raffiné

Ce plat contient environ :
360 cal. Protides 28 g.
Lipides 25 g. Glucides 4 g.

Préparation : 15 mn environ.

- *100 g d'escalope de dinde*
- *1 petite chicorée rouge*
- *50 g de champignons de Paris*
- *6 tomates cerise*
- *1 oignon blanc*
- *3 cuil. à soupe d'huile de tournesol*
- *2 cuil. à soupe de vinaigre de xérès*
- *1 pincée de sucre*
- *1 cuil. à café de câpres*
- *sel*
- *poivre du moulin*

♦ Les salades "tièdes" peuvent servir d'entrée ou de plat principal. Si vous ne trouvez pas de tomates cerise, très aromatiques, remplacez-les par 1 tomate.

1. Détacher les feuilles de la chicorée, les laver et les couper en larges lanières. Couper la tige verte de l'oignon en rondelles d'environ 1 cm de large, couper le bulbe en rondelles très fines. Nettoyer les champignons et les couper en lamelles, laver les tomates (ou couper en morceaux 1 grosse tomate).

2. Couper l'escalope de dinde en morceaux de la taille d'une bouchée. Dans une petite poêle, faire chauffer 1 cuillerée à soupe d'huile et y faire revenir la viande, en remuant constamment, 2 ou 3 mn. Réserver.

3. Pour la sauce, mélanger le reste de l'huile, le vinaigre et le sel. Poivrer et sucrer.

4. Garnir une grande assiette plate avec la chicorée. Répartir dessus les légumes coupés en petits morceaux et les tomates. Pour finir, poser les morceaux de viande tièdes sur la salade puis les câpres. Arroser avec la vinaigrette. Poivrer les morceaux de viande.

SAUMON FUMÉ AUX ŒUFS BROUILLÉS

un peu cher - facile

Ce plat contient environ :
170 cal. Protides 11 g.
Lipides 15 g. Glucides 1 g.

Préparation : 10 mn.

- *50 g de saumon fumé*
- *2 œufs*
- *10 à 20 g de beurre (selon la poêle)*
- *poivre du moulin*
- *un peu d'aneth frais ou de persil*
- *sel*

1. Battre les œufs avec 1 cuillerée à soupe d'eau et 1 pincée de sel.

2. Dans une petite poêle, faire fondre le beurre. Verser l'œuf et laisser cuire en remuant sans cesse avec une cuillère en bois. Poivrer.

3. Dresser le saumon et l'œuf brouillé sur une assiette chaude. Décorer avec quelques rameaux d'aneth ou de persil. Ce plat est particulièrement bon avec des toasts ou du pain aux noix.

♦ Le saumon aux œufs brouillés est une collation aussi simple que raffinée mais vous pouvez choisir n'importe quel autre poisson fumé.

OMELETTE AU FROMAGE

rapide - bon marché

Ce plat contient environ :
430 cal. Protides 26 g.
Lipides 35 g. Glucides 1 g.

Préparation : 10 mn.

- *2 œufs*
- *40 g de mimolette*
- *10 ou 20 g de beurre (10 g pour une poêle à fond épais, 20 g pour une poêle en fer)*
- *3-4 brins de ciboulette*
- *poivre blanc du moulin*

1. Râper le fromage et hacher finement la ciboulette.

2. Battre les œufs dans un saladier, ajouter le fromage et la ciboulette. Poivrer légèrement et mélanger rapidement à la fourchette.

3. Dans une poêle, faire fondre le beurre. Il doit rester mousseux et ne pas brunir.

4. Verser les œufs dans la poêle et faire cuire à feu vif en remuant un peu la poêle, 2 ou 3 mn.

5. Faire glisser l'omelette sur une assiette chaude, en la repliant. L'intérieur doit être baveux et l'extérieur légèrement grillé.

♦ On peut varier les omelettes à l'infini. La préparation est rapide mais requiert pour cette même raison un peu d'attention et de précision.

CONSEIL !

La cuisson des œufs doit se faire dans une poêle en fer - ou une poêle à fond épais. Si vous faites cuire une omelette quand même dans une poêle en acier, vous devrez le faire avec beaucoup de beurre.

VARIANTES

**Pour une omelette plus relevée, remplacez le gruyère par du fromage de brebis.
Mélangez aux œufs des noix grossièrement hachées ou des épinards cuits.
Faites une omelette sans fromage et ajoutez-y une tranche de saumon fumé et de la crème épaisse dans la poêle ou servez une omelette au fromage avec des morceaux de tomates chauds.**

*En haut : saumon fumé aux œufs brouillés.
En bas : omelette au fromage.*

SOUPE DE BŒUF

demande du temps

Ce plat contient environ :
790 cal. Protides 66 g.
Lipides 58 g. Glucides 3 g.

Préparation : 1 h 30 environ.

- *1 tranche de jarret de bœuf (300 à 400 g)*
- *1 petit oignon*
- *1 bouquet garni*
- *1 gousse d'ail*
- *1 clou de girofle*
- *un peu de persil*
- *quelques grains de poivre noir*
- *sel*

1. Rincer à l'eau froide le jarret de bœuf, pour supprimer les éventuels bouts d'os.

2. Éplucher l'oignon et le couper en deux. Faire chauffer une casserole d'une contenance de 2 litres environ. Poser les oignons, la tranche sur le fond, et les faire un peu griller. Quand ils commencent à brunir, ajouter la viande et arroser le tout avec un litre d'eau froide. Ajouter le sel, les grains de poivre, l'ail et le clou de girofle et porter à ébullition.

3. Baisser alors le feu jusqu'à ce que la soupe bouillonne doucement, à découvert. Retirer l'écume grise qui se forme à la surface, à l'aide d'une écumoire.

4. Pendant que le bouillon cuit, hacher un peu de persil et faire cuire dans de l'eau salée des pâtes ou du riz.

5. La soupe est prête au bout de 1 h 30. La goûter et couper un morceau de viande pour vérifier qu'elle est tendre.

6. La sortir du bouillon, ôter l'os et la couper en petits morceaux. Verser le bouillon dans l'assiette sur la viande et saupoudrer de persil. La moelle de l'os se mange avec du sel et du poivre sur un morceau de pain grillé.

VARIANTE

De la même façon, vous pouvez préparer d'autres bouillons : de poule, par exemple, pour lequel vous prendrez soit une poule entière soit des abattis de poulet. Pour recevoir des amis, mélangez plusieurs sortes de viande : bœuf, poule et un os de veau.

CONSEIL!

Le bouillon se congèle très bien.

La soupe de bœuf prend du temps mais aucune soupe toute préparée ne peut rivaliser avec elle.

SOUPE DE TOMATES

bon marché - facile

Ce plat contient environ :
130 cal. Protides 3 g.
Lipides 9 g. Glucides 11 g.

Préparation : 20 mn environ.

- *250 g de tomates mûres*
- *1 cuil. à soupe de crème fraîche épaisse*
- *1 cuil. à café d'huile d'olive*
- *1/2 cuil. à café de paprika doux*
- *1 pincée de sucre*
- *1/2 cuil. à café de basilic*
- *1 pincée de romarin*
- *1 cuil. à café de jus de citron*
- *un peu de ciboulette*
- *sel*
- *poivre du moulin*

1. Laver et couper les tomates en morceaux.

2. Faire chauffer l'huile dans une casserole et y faire revenir les morceaux de tomates à feu doux environ 5 mn.

3. Passer les tomates à travers un tamis et les remettre dans la casserole.

4. Ajouter les épices, les herbes et le jus de citron et laisser cuire encore 5 mn.

5. Verser la soupe dans l'assiette et y ajouter un peu de crème et de la ciboulette. Poivrer encore un peu.

♦ N'utilisez que des tomates fraîches pour préparer cette soupe.

SOUPE AU RIZ AUX COURGETTES

savoureux

Ce plat contient environ :
290 cal. Protides 8 g.
Lipides 14 g. Glucides 31 g.

Préparation : 30 mn environ.

- *1 petite courgette*
- *50 g de champignons de Paris*
- *1 cuil. à soupe de crème fraîche*
- *50 g de riz*
- *1 petit oignon*
- *1 gousse d'ail*
- *3 ou 4 feuilles de basilic ou du persil*
- *1 cuil. à soupe d'huile d'olive*
- *35 cl de bouillon de poule*
- *1 pincée de noix muscade*
- *sel*
- *poivre du moulin*

1. Éplucher l'oignon et l'ail et les hacher finement. Les faire revenir dans une petite casserole doucement à feu moyen dans l'huile d'olive. Ajouter le riz au bout de 3 mn et le faire revenir sans cesser de remuer.

2. Arroser avec le bouillon de poule et porter à ébullition, couvrir et laisser cuire 15 mn.

3. Pendant ce temps, laver et couper en petits dés la courgette ou la râper grossièrement. Nettoyer les champignons et les couper en lamelles. Hacher le basilic.

4. Après 15 mn de cuisson du riz, y ajouter la courgette et les champignons et laisser cuire encore 5 mn. Saler, poivrer, ajouter la noix muscade et le basilic. Incorporer la crème fraîche et mettre la soupe sur la table.

♦ Cette recette pour une personne remplace la soupe et le légume. Vous pouvez mettre du blé vert à la place du riz. Comptez 25 mn de cuisson environ.

En haut : soupe de tomates.
En bas : soupe au riz aux courgettes.

SOUPE DE CAROTTES AU TOFOU

demande du temps

Ce plat contient environ :
360 cal. Protides 19 g.
Lipides 19 g. Glucides 32 g.

Préparation : 45 mn environ.

Pour les boulettes :
- *1 petit œuf*
- *100 g de tofou*
- *1 gousse d'ail*
- *2 cuil. à soupe de chapelure*
- *1 cuil. à café de curry*
- *1 cuil. à soupe de fines herbes mélangées*
- *sel*
- *poivre blanc du moulin*

Pour la soupe :
- *250 g de carottes*
- *1 cuil. à soupe de crème fraîche*
- *20 g de beurre*
- *1 petit oignon*
- *40 cl de bouillon de légumes ou de poule*
- *2 pincées d'herbes de Provence*
- *un peu de persil*
- *1 cuil. à café de jus de citron*

1. Pour les boulettes, préparer 1,5 litre d'eau salée. Écraser le tofu avec une fourchette. Hacher finement l'ail, en mettre la moitié dans le tofu et réserver le reste pour la soupe. Mélanger l'œuf, la chapelure, le curry et les herbes au tofou, saler et poivrer. La préparation doit être très épaisse, mais ni dure ni sèche. L'assouplir éventuellement avec quelques gouttes d'eau ou d'huile.

2. Quand l'eau bout, baisser le feu. Détacher des boulettes avec deux cuillères à soupe et les laisser glisser dans l'eau salée bouillonnant doucement. Laisser cuire les boulettes 5 mn puis les retirer et les égoutter dans une passoire.

3. Éplucher les carottes et les couper en rondelles d'environ 1/2 cm d'épaisseur. Hacher grossièrement l'oignon et le faire revenir dans le beurre avec l'ail réservé, dans une petite casserole, environ 2 mn. Ajouter les carottes, mettre à feu vif et verser tout le bouillon dans la casserole. Ajouter les herbes de Provence.

4. Quand la soupe bout, mettre à feu doux, couvrir et laisser cuire 10 mn environ. Hacher le persil.

5. Écraser la soupe au pilon à purée dans la casserole, ajouter le jus de citron et la crème fraîche. Réchauffer les boulettes dans la soupe prête. Servir la soupe et saupoudrer de persil haché.

♦ On peut préparer de nombreuses soupes à partir de légumes cuits puis écrasés. Le tofu est une sorte de "caillé" de haricots de soja, que vous trouverez dans les magasins de produits naturels.

CONSEIL!

Vous pouvez faire ce genre de soupe écrasée avec n'importe quel autre légume (les boulettes ne sont pas indispensables).
La quantité de bouillon nécessaire dépend de la teneur en eau des légumes employés. Concombres et tomates en ont à peine besoin à l'inverse du céleri-rave.

La soupe de carottes est aussi très bonne sans boulettes de tofou.

pâtes

PÂTES AU PERSIL

rapide - bon marché

Une portion contient environ :
430 cal. Protides 7 g.
Lipides 44 g. Glucides 2 g.

Pour 2 portions.
Préparation : 10 mn environ.

- *100g de pâtes*
- *1 bouquet de persil*
- *2 cuil. à soupe de pignons de pin*
- *2 cuil. à soupe de câpres*
- *4 cuil. à soupe d'huile d'olive*
- *poivre noir du moulin*

1. Laver et hacher le persil, hacher aussi les pignons de pin et les câpres.

2. Mélanger le persil, les pignons de pin et les câpres à l'huile d'olive, poivrer. Les câpres étant salées, il n'est généralement pas nécessaire de saler.

3. Faire cuire 100 g de pâtes de votre choix. Servir avec le condiment. Ajouter éventuellement un peu de parmesan râpé.

Un peu plus coûteuse, mais d'un goût plus fin, la spécialité génoise qui associe du basilic haché, du parmesan et un fromage de brebis à pâte dure râpé (le pecorino) avec une bonne ration d'ail, le tout mélangé avec de l'huile d'olive.

NIDS AUX CHAMPIGNONS

Ce plat contient environ :
710 cal. Protides 21 g.
Lipides 29 g. Glucides 86 g.

Préparation : 30 mn environ.

- *200 g de champignons de Paris (ou de rosés, ou de cèpes ou de girolles)*
- *3 cuil. à soupe de crème*
- *100 g de pâtes (nids) complètes ou non*
- *1 petit oignon*
- *1 gousse d'ail*
- *20 g de beurre*
- *1 cuil. à soupe de farine*
- *1/4 tablette de bouillon de volaille instantané*
- *1 poignée de persil plat*
- *2 cuil. à soupe de vin blanc*
- *sel*
- *poivre blanc du moulin*

1. Essuyer les champignons sans les laver avec un linge humide. Les éplucher s'ils sont très sales. Puis les couper en lamelles.

2. Éplucher l'oignon et l'ail et les hacher finement. Dans une poêle, faire fondre le beurre à feu moyen et y faire revenir l'oignon et l'ail 3 à 5 mn. Remplir une casserole de 1,5 litre d'eau légèrement salée.

3. Faire revenir les champignons avec l'oignon en remuant. Saupoudrer de farine, émietter dessus le bouillon instantané et arroser avec 5 cuillerées à soupe d'eau et le vin blanc.

4. Faire bouillir l'eau et verser les pâtes dans la casserole. Suivre les indications de cuisson figurant sur le paquet.

5. Pendant que les champignons cuisent (10 mn environ), hacher finement le persil.

6. Égoutter les pâtes. Ajouter la crème dans les champignons, saler et poivrer si besoin. Dresser sur une assiette chaude à côté des pâtes. Saupoudrer de persil.

En haut : pâtes au persil.
En bas : nids aux champignons.

PENNE AUX NOIX

raffiné - bon marché

Ce plat contient environ :
830 cal. Protides 26 g.
Lipides 49 g. Glucides 70 g.

Préparation : 15 mn environ.

- *50 g de crème*
- *50 g de gorgonzola*
- *20 g de beurre*
- *100 g de penne*
  (ou autres pâtes)
- *2 ou 3 noix*
- *sel*
- *poivre noir du moulin*

1. Porter à ébullition de l'eau salée dans une grande casserole et y faire cuire les pâtes suivant les indications figurant sur le paquet.

2. Pendant ce temps, hacher les noix. Dans une petite poêle, faire fondre le beurre et y faire revenir les noix.

3. Émietter le fromage et le verser dans la poêle avec les noix. Ajouter la crème et mélanger le tout à feu doux jusqu'à l'obtention d'une pâte crémeuse.

♦On boira avec ce plat un vin rouge léger ou - ce qui est plus inhabituel mais très agréable - un vin blanc pas trop sec.

4. Une fois les pâtes cuites, les égoutter, les mélanger avec la sauce et poivrer.

♦ Le gorgonzola, ce fromage doux italien à pâte persillée ne se mange pas que sur du pain. Fondu avec de la crème, il donne une sauce merveilleuse en accompagnement des pâtes, et la petite quantité nécessaire permet d'utiliser un reste.

LASAGNES AUX FOIES DE VOLAILLE

raffiné - long

Ce plat contient environ :
740 cal. Protides 53 g.
Lipides 35 g. Glucides 52 g.

Préparation : 30 mn environ.
Cuisson : 20 mn.

- *100 g de foies de volaille*
- *300 g d'épinards en branche surgelés*
- *200 g de tomates passées au tamis*
- *50 g de gruyère*
- *4 lasagnes "sans précuisson"*
- *1 petit oignon*
- *1 gousse d'ail*
- *1 cuil. à café d'huile d'olive*
- *2 cuil. à soupe de madère*
- *2 pincées d'origan*
- *2 pincées de thym*
- *1/2 cuil. à café de paprika doux*
- *10 g de beurre pour le moule*
- *1 pincée de poivre de Cayenne*
- *sel*

♦Les lasagnes sont des pâtes très larges qui sont souvent gratinées au four. L'intérêt réside donc dans l'accompagnement qu'on peut varier indéfiniment.

1. Faire fondre à feu doux les épinards congelés dans une casserole. Couper l'oignon et l'ail en petits morceaux et les faire revenir dans l'huile d'olive. Hacher finement les foies de volaille et les faire revenir avec l'oignon. Arroser de madère.

2. Ajouter les tomates, le thym, l'origan et les épices, saler et laisser bouillonner doucement environ 5 mn. Préchauffer le four à 220 °C. Beurrer un petit moule, carré de préférence.

3. Défaire un peu la masse des épinards, saler, arroser avec le citron. En disposer la moitié dans le moule. Poser dessus 2 feuilles de lasagne. Puis verser la préparation à la tomate et recouvrir de nouveau avec deux feuilles de lasagne.

4. Recouvrir le tout avec le reste d'épinards en couvrant bien les pâtes qui, sinon, resteront dures aux endroits découverts. Râper le fromage dessus et faire gratiner au four à 220 °C 15-20 mn.

TRUITE POÊLÉE

facile à préparer

Ce plat contient environ :
430 cal. Protides 68 g.
Lipides 18 g. Glucides 1 g.

Préparation : 30 mn environ.

- *1 truite préparée*
- *20 g de beurre*
- *le jus de 1/2 citron*
- *1 poignée de fine herbes fraîches*
- *sel*
- *poivre blanc du moulin*

1. Laver l'intérieur et l'extérieur du poisson, le sécher et l'arroser intérieurement et extérieurement de jus de citron.

2. Saler, poivrer la truite. Hacher les herbes et en farcir le poisson.

3. Faire fondre le beurre dans une poêle, y mettre le poisson, couvrir et faire cuire environ 5 mn de chaque côté à feu doux. Accompagner le plat avec des pommes de terre en robe des champs et une salade verte.

♦ Vous pouvez faire la même préparation avec une truite surgelée.

MAQUEREAU AUX HERBES

bon marché - facile

Ce plat contient environ :
690 cal. Protides 56 g.
Lipides 51 g. Glucides 0 g.

Préparation : 30 mn environ.

- *1 maquereau*
- *Le jus de 1/2 citron*
- *1 bouquet de fines herbes mélangées*
- *1 petit oignon ou 1 échalote*
- *2 cuil. à soupe d'huile d'olive*
- *sel*

1. Laver soigneusement le poisson et le sécher.

2. L'arroser de jus de citron intérieurement et extérieurement.

3. Hacher finement les herbes et l'oignon. Farcir le poisson avec la moitié de ce mélange. Laisser si possible un peu reposer le poisson.

4. Faire chauffer l'huile dans la poêle. Saler le poisson et le faire cuire 5 mn de chaque côté à feu doux. La chair doit être blanche et la peau croustillante.

5. Pendant la cuisson, ajouter le reste des herbes dans la poêle, en remuant constamment. Servir le poisson avec les herbes. Accompagner de brocolis et de pommes de terre.

♦ Les poissons de mer nous apportent de l'iode et doivent pour cela figurer à nos menus. Vous pouvez remplacer le maquereau par n'importe quel poisson de taille équivalente, en suivant le même mode de préparation.

En haut : truite poêlée.
En bas : maquereau aux herbes.

poissons et viandes

FILET DE BŒUF POCHÉ AUX LÉGUMES

raffiné - un peu cher

Ce plat contient environ :
360 cal. Protides 11 g.
Lipides 18 g. Glucides 37 g.

Préparation : 30 mn environ.

- *150 g de filet de bœuf*
- *3 petites pommes de terre (150 g environ)*
- *1 carotte*
- *1 petit poireau*
- *2 cuil. à soupe de crème fraîche*
- *1/2 tablette de bouillon instantané*
- *3 cuil. à soupe de vin blanc sec*
- *2 branches de persil*
- *1/2 cuil. à café de moutarde de Dijon*
- *sel*
- *poivre blanc du moulin*

♦ Le filet de bœuf est un morceau très tendre mais qui a peu de goût. Vous pouvez le remplacer par du faux filet. Ce mode de cuisson évite l'odeur persistante laissée par la viande grillée.

1. Faire cuire les pommes de terre non pelées dans un peu d'eau. Éplucher les carottes et les couper en trois morceaux puis ces morceaux en fins bâtonnets dans le sens de la longueur. Procéder de même avec le poireau, après l'avoir fendu en deux et lavé.

2. Faire bouillir 20 cl d'eau, y ajouter la tablette de bouillon, la carotte, le poireau et le persil, puis mettre à feu doux. Plonger la viande dans le bouillon et la laisser cuire de 5 à 8 mn selon l'épaisseur du morceau et le degré de cuisson désiré.

3. Retirer les légumes et la viande avec l'écumoire et les maintenir au chaud (entre 2 assiettes chaudes par exemple). Faire réduire le bouillon à feu vif jusqu'à ce qu'il en reste l'équivalent de quelques cuillerées à soupe. Incorporer la moutarde et la crème fraîche, saler et poivrer.

4. Peler les pommes de terre cuites et les disposer sur une assiette chaude avec les légumes. Poser la viande sur les légumes et verser la sauce dessus.

CÔTE D'AGNEAU AUX HERBES DE PROVENCE

rapide - facile à préparer

Ce plat contient environ :
570 cal. Protides 20 g.
Lipides 54 g. Glucides 1 g.

Préparation : 15 mn environ.

- *1 mutton chop (côte d'agneau double)*
- *1 cuil. à soupe de crème fraîche*
- *1 gousse d'ail*
- *1 cuil. à café d'herbes de Provence*
- *1 cuil. à soupe d'huile d'olive*
- *2 cuil. à soupe de madère*
- *1/2 cuil. à café de poivre concassé*
- *sel*
- *poivre noir du moulin*

CONSEIL!

Vous pouvez remplacer la côte double par 2 côte-lettes premières. Attention au temps de cuisson, car elles sont générale-ment moins épaisses qu'une côte double.

1. Frapper la côte. Presser l'ail ou le hacher très fin.

2. Frotter la viande avec la moi-tié de l'ail. Saupoudrer les deux côtés avec les herbes de Provence, assaisonner de poivre gros-sièrement concassé.

3. Faire chauffer l'huile dans la poêle. Y faire revenir la viande, mettre à cuire avec le reste d'ail. Faire cuire environ 3 mn de chaque côté puis retirer de la poêle et saler.

4. Allonger le jus de cuisson avec le madère. Saler, poivrer et ajouter la crème fraîche. Les ha-ricots verts accompagnent par-faitement la côte d'agneau.

CUISSE DE POULET AU RISOTTO DE LÉGUMES

raffiné - demande du temps

Ce plat contient environ :
640 cal. Protides 41 g.
Lipides 29 g. Glucides 47 g.

Préparation : 45 mn environ.

Pour le risotto :
- *50 g de riz*
- *100 g de champignons de Paris*
- *1 petite carotte*
- *1 petit oignon*
- *1 gousse d'ail*
- *1 cuil. à soupe d'huile d'olive*
- *sel*

Pour le poulet :
- *1 cuisse de poulet*
- *1 cuil. à soupe de crème fraîche*
- *1 branche de thym frais ou 1/2 cuil. à café de thym sec*
- *3 cuil. à soupe de vin blanc sec*

1. Mettre le riz 20 mn dans 0,5 litre d'eau bouillante salée. Il doit être juste cuit.

2. Saler et poivrer la cuisse de poulet. La frotter avec le thym.

3. Dans une petite poêle, faire chauffer l'huile et y faire revenir la cuisse de tous les côtés, puis laisser cuire 20 mn à feu doux en la retournant à mi-cuisson. Pour l'empêcher de brûler, verser de temps en temps quelques cuillerées d'eau chaude.

4. Nettoyer et éplucher la carotte, l'oignon, la gousse d'ail et les champignons et les couper en tout petits morceaux.

5. Faire chauffer l'huile dans une sauteuse, y faire cuire les légumes environ 5 mn à feu moyen et à couvert.

7. Égoutter le riz, l'ajouter aux légumes et laisser cuire encore 5 mn.

8. Lorsque le poulet est cuit, le retirer de la poêle. Ajouter le vin dans la poêle et gratter avec une spatule en bois. Faire bouillir, puis incorporer la crème fraîche.

9. Dresser la cuisse de poulet à côté du risotto et napper de sauce.

♦ Le poulet est une viande idéale pour les personnes seules. Il se débite naturellement en portions, se cuit rapidement et est bon marché. Il est important de faire attention à sa qualité : les volailles élevées en liberté sont bien meilleures que celles des élevages industriels.

CONSEIL !

Vous pouvez bien sûr remplacer la cuisse par un blanc de poulet. Le temps de cuisson sera alors beaucoup plus court.

Cuisse de poulet au risotto de légumes.

POIVRONS FARCIS

bon marché

Ce plat contient environ :
400 cal. Protides 34 g.
Lipides 29 g. Glucides 6 g.

Préparation : 25 mn environ.

- *125 g de steak haché*
- *1 gros poivron*
  ou 2 petits
- *1 petit oignon*
- *1 gousse d'ail*
- *1 bonne cuil. à soupe*
  de fromage râpé
- *1 cuil. à soupe de concentré*
  de tomates
- *1 feuille de sauge*
  ou 1 pincée de sauge séchée
- *quelques feuilles de basilic*
  ou 1/2 cuil. à café
  de basilic séché
- *1 pincée de piment*
- *1 cuil. à soupe d'huile*
- *sel*
- *poivre noir du moulin*

1. Mettre à chauffer 0,5 litre d'eau salée. Laver les poivrons, découper un petit chapeau, ôter les graines et les filaments blancs. Saler légèrement l'intérieur.

2. Les mettre à cuire à feu doux dans l'eau salée environ 10 mn. Égoutter et refroidir à l'eau.

3. Pendant ce temps, mettre l'huile à chauffer, hacher finement l'oignon et l'ail et les faire revenir.

4. Ajouter la viande hachée dans la poêle, l'émietter avec la cuillère en bois pour qu'elle cuise régulièrement.

5. Lorsque la viande est cuite (au bout de 10 mn environ), délayer le concentré de tomates avec 1 cuillerée d'eau et l'incorporer, avec les épices et les herbes, à la viande. Bien assaisonner. Mélanger la préparation et le fromage et en emplir les poivrons. Remettre en place les petits chapeaux.

♦ Les poivrons verts et rouges se farcissent souvent mieux que les jaunes qui ont tendance à blettir.

STEAKS HACHÉS AU CUMIN

rapide à préparer

Ce plat contient environ :
260 cal. Protides 34 g.
Lipides 13 g. Glucides 0 g.

Préparation : 10 mn environ.

- *150 g de bifteck haché*
- *1 cuil. à soupe de fromage*
  blanc demi-sel
- *1/2 cuil. à café de cumin*
  en poudre
- *1 cuil. à soupe d'huile*
- *sel*
- *poivre du moulin*

1. Bien mélanger la viande, le fromage et le cumin, saler très légèrement, poivrer.

2. Faire chauffer l'huile dans la poêle. Former avec les mains deux boulettes de viande aplaties et les faire cuire de chaque côté environ 4 mn.

♦ Le cumin donne au plat une petite note orientale.

VARIANTE

Si vous n'appréciez pas le goût particulier du cumin, assaisonner la viande avec des câpres et des anchois hachés. Dans ce cas, n'employez pas de fromage.

En haut : poivrons farcis.
En bas : steaks hachés au cumin.

GOULASH DE POMMES DE TERRE

facile

Ce plat contient environ :
360 cal. Protides 9 g.
Lipides 15 g. Glucides 48 g.

Préparation : 30 mn environ.

- *250 g de pommes de terre à chair ferme*
- *1 petit poireau*
- *1 petit poivron*
- *2 tomates mûres*
- *1 cuil. à soupe de crème fraîche*
- *1 petit oignon*
- *1 gousse d'ail*
- *un peu de persil frais*
- *1/2 tablette de bouillon de bœuf ou de volaille*
- *1 cuil. à soupe d'huile d'olive*
- *1 cuil. à soupe de vinaigre de xérès*
- *2-3 pincées d'origan séché*
- *1/2 cuil. à café de paprika doux*
- *1/2 cuil. à café de cumin*
- *sel, poivre*

1. Éplucher et rincer les pommes de terre puis les couper en petits morceaux de 1 cm environ. Éplucher l'oignon et le couper en rondelles. Couper le poireau en deux dans le sens de la longueur, bien le laver et le tailler en morceaux d'environ 1 cm. Laver le poivron, le couper en deux, ôter les graines et les fila-

ments blancs et le couper en dés. Ébouillanter les tomates, les peler et couper la chair en morceaux. Hacher l'ail. Faire bouillir 30 cl d'eau.

2. Mettre l'huile à chauffer dans une cocotte et y faire revenir d'abord légèrement l'oignon et l'ail. Ajouter les pommes de terre et les faire revenir un peu.

3. Mettre le reste des légumes et saupoudrer avec l'origan, le paprika et le cumin. Verser l'eau, ajouter la tablette de bouillon, couvrir et laisser cuire le goulash doucement de 15 à 20 mn. Les pommes de terre ne doivent pas se défaire. Entre-temps, hacher le persil.

4. Saler et poivrer le plat. Incorporer le vinaigre et la crème fraîche. Saupoudrer de persil.

POTIRON AU FOUR

bon marché - long

Ce plat contient environ :
600 cal. Protides 22 g.
Lipides 44 g. Glucides 30 g.

Préparation : 45 mn environ.

- *1 tranche de potiron (environ 500 g)*
- *1 petit poireau*
- *3 branches d'aneth*
- *1 œuf*
- *50 g de gruyère*
- *50 g de crème fraîche*

- *1 cuil. à soupe d'huile d'olive*
- *1/4 de cuil. à soupe de graines de cumin*
- *1 pincée de noix muscade fraîchement râpée*
- *1 pincée d'ail en poudre*
- *sel, poivre du moulin*

1. Éplucher le potiron, en ôtant l'écorce et les graines et le couper en dés de 2 cm de côté.

2. Faire chauffer l'huile dans une poêle pas trop petite. Y faire revenir les morceaux de potiron, saler légèrement, poivrer et ajouter le cumin. Couvrir et laisser cuire 10 mn à feu doux.

3. Pendant ce temps, couper le poireau en rondelles et le laver. L'ajouter au potiron et laisser encore cuire 10 mn. Les légumes doivent être juste cuits.

4. Préchauffer le four à 200 °C. Hacher l'aneth et râper le fromage. Réserver 1 cuillerée à soupe de fromage râpé et mélanger le reste à l'œuf, à l'aneth et à la crème fraîche. Saler et poivrer, ajouter la noix muscade et l'ail.

5. Mélanger les légumes à la préparation à l'œuf et au fromage, saupoudrer du reste de fromage et mettre dans le bas du four. Le plat est prêt quand apparaît une appétissante croûte dorée.

En haut : potiron au four.
En bas : goulash de pommes de terre.

MILLET AUX CAROTTES ET PETITS POIS

original

Ce plat contient environ :
430 cal. Protides 9 g.
Lipides 14 g. Glucides 55 g.

Préparation : 35 mn.

- *250 g de petits pois frais*
- *100 g de carottes*
- *1 petite poignée de fines herbes (persil, ciboulette, menthe)*
- *2 cuil. à soupe de crème fraîche*
- *15 cl de lait*
- *40 g de millet*
- *1 tablette de bouillon de volaille instantané*
- *1 cuil. à soupe d'huile d'olive*
- *1 pincée de muscade en poudre*
- *sel*

1. Porter le lait à ébullition avec de l'eau selon la quantité de liquide indiquée sur l'emballage. Ajouter la tablette de bouillon, verser le millet en pluie. Assaisonner de noix muscade et d'un peu de sel. Bien remuer et laisser cuire selon les indications portées sur l'emballage.

2. Entre-temps, écosser les petits pois, nettoyer les carottes et les couper en très fines rondelles.

3. Hacher les fines herbes. Faire chauffer l'huile dans une poêle (ou mieux, dans un wok si vous en possédez un) et y faire sauter les carottes et les petits pois de 5 à 10 mn en remuant constamment.

4. Mélanger les herbes hachées et les légumes au millet cuit. Incorporer la crème fraîche.

♦ On ne trouve de petits pois frais qu'au printemps. Mais cette recette peut très bien se faire avec des petits pois en conserve.

LÉGUMES DU JARDIN EN COCOTTE

demande du temps - facile

Ce plat contient environ :
260 cal. Protides 8 g.
Lipides 9 g. Glucides 35 g.

Préparation : 15 mn.
Cuisson : 1 h.

- *150 g de pommes de terre*
- *1 petite aubergine*
- *1 petite courgette*
- *1 petit oignon*
- *2 tomates*
- *1 poignée de fines herbes fraîches*
- *1 cuil. à soupe d'huile d'olive*
- *1 cuil. à café de paprika doux*
- *1 petit poivron*
- *sel*
- *poivre du moulin*

1. Plonger la cocotte en terre 15 mn dans de l'eau froide.

2. Pendant ce temps, laver et couper en morceaux les légumes. Couper en morceaux plus petits ceux qui cuisent plus longtemps comme les pommes de terre et l'aubergine.

3. Hacher les fines herbes. Égoutter la cocotte.

4. Mettre les légumes et les herbes, le paprika, du sel et du poivre dans la cocotte. Arroser avec l'huile, mélanger et couvrir.

5. Enfourner la cocotte à four froid. Allumer à 220 °C et laisser cuire 50 à 60 mn.

♦ Vous n'avez pas besoin de matière grasse dans une cocotte en terre car tout cuit dans son propre jus et les vitamines sont conservées. L'huile d'olive employée ici l'est uniquement pour son goût. En vous réglant sur les légumes disponibles suivant la saison, vos plats se renouvelleront constamment.

En haut : millet aux carottes et petits pois.
En bas : légumes du jardin en cocotte.

OMELETTE PLATE AUX POMMES DE TERRE

bon marché - facile

Ce plat contient environ :
380 cal. Protides 18 g.
Lipides 21 g. Glucides 33 g.

Préparation : 30 mn environ.

- *200 g de pommes de terre*
- *restes de légumes cuits*
- *2 œufs*
- *1 petit oignon ou 1 échalote*
- *1 cuil. à soupe d'huile d'olive*
- *1 pincée de noix muscade fraîchement râpée*
- *1/2 cuil. à café d'estragon*
- *sel, poivre noir du moulin*

1. Éplucher les pommes de terre et les couper en dés. Éplucher et hacher l'oignon.

2. Faire chauffer l'huile dans une poêle. Couvrir et faire cuire à feu moyen les oignons et les pommes de terre en secouant plusieurs fois la poêle. N'ajouter les légumes que lorsque les pommes de terre sont cuites.

3. Battre les œufs et bien assaisonner. Verser sur les pommes de terre, couvrir et laisser cuire environ 6 mn.

4. Retourner à l'aide d'une assiette et faire dorer l'autre côté. L'omelette doit rester tendre au centre.

DOLMAS DE BETTES AU FROMAGE

original

Ce plat contient environ :
360 cal. Protides 14 g.
Lipides 29 g. Glucides 11 g.

Préparation : 30 mn environ.

- *8 grosses feuilles de bettes*
- *1 petite poignée de fines herbes fraîches au choix*
- *100 g de fromage de brebis ou de ricotta*
- *1 cuil. à soupe de crème fraîche*
- *1 gousse d'ail*
- *20 g de cerneaux (4 noix environ)*
- *1 cuil. à café de jus de citron*
- *1 cuil. à café d'huile*
- *20 g de beurre*
- *3 cuil. à soupe de vin blanc*
- *sel*
- *poivre du moulin*

1. Remplir d'eau une grande casserole. Dans un saladier, écraser le fromage à la fourchette.

2. Hacher les herbes, l'ail et les noix et les ajouter au fromage. Saler, poivrer, verser le jus de citron et l'huile et bien remuer le tout.

3. Mettre 4 mn les feuilles de bettes dans de l'eau bouillante, égoutter et refroidir sous l'eau froide.

4. Mettre 2 feuilles l'une sur l'autre en sens contraire, placer au centre 1 cuillerée de la préparation, couper les côtés et rouler. Pour les réaliser à la perfection, les ficeler afin que les feuilles ne s'ouvrent pas.

5. Faire fondre le beurre dans une petite poêle ou une petite casserole. Mettre les dolmas dans la poêle, couvrir et faire cuire doucement 15 mn. Ajouter le vin à mi-cuisson.

6. Disposer les dolmas sur une assiette chaude, mélanger la crème fraîche à ce qui reste de sauce dans la poêle. Si, contre toute attente, il reste beaucoup de jus, le faire réduire d'abord à feu vif.

CONSEIL !

Vous pouvez remplacer les feuilles de bettes par de grandes feuilles d'épinards ou par des feuilles de chou.

En haut : omelette plate aux pommes de terre.
En bas : dolmas de bettes au fromage.

PETITES GALETTES DE SEMOULE

demande du temps

Ce plat contient environ :
740 cal. Protides 27 g.
Lipides 36 g. Glucides 77 g.

Préparation : 40 mn environ.

- *1 œuf*
- *1/4 litre de lait*
- *20 g de beurre*
- *100 g de semoule*
- *1 petit oignon ou 1 échalote*
- *1/2 tablette de bouillon de volaille*
- *1 pincée de noix muscade fraîchement râpée*
- *sel*
- *poivre du moulin*
- *1 ou 2 cuil. à soupe d'huile*

1. Faire bouillir le lait. Ajouter la tablette de bouillon et y jeter la semoule en pluie. Laisser gonfler 15 mn.

2. Éplucher l'oignon, le hacher et le faire revenir dans le beurre. Mélanger l'oignon et l'œuf avec la semoule et assaisonner de noix muscade, de sel et de poivre.

3. Faire chauffer l'huile dans une poêle et y déposer des louches de semoule. Aplatir les tas avec une cuillère jusqu'à leur donner l'épaisseur d'un doigt. Les dorer 4 mn environ de chaque côté à feu moyen.

SAUCE VERTE AU FROMAGE

facile

Ce plat contient environ :
500 cal. Protides 27 g.
Lipides 35 g. Glucides 16 g.

Préparation : 15 mn environ.

- *100 g de brie*
- *12 cl de lait*
- *20 g de beurre*
- *2 échalotes ou 1 oignon*
- *1 gousse d'ail*
- *1 petit bouquet de fines herbes ou 2 ou 3 cuil. à soupe d'herbes surgelées*
- *1 cuil. à soupe de farine*
- *1 pincée de sucre*
- *1 pincée de noix muscade fraîchement râpée*
- *3 cuil. à soupe de vin blanc*
- *sel*
- *Poivre du moulin*

1. Éplucher et hacher finement les échalotes. Hacher très finement l'ail ou le passer au presse-ail. Laver les herbes, ôter les grosses tiges et les hacher finement.

2. Faire revenir 5 mn environ les échalotes et l'ail dans le beurre. Saupoudrer avec la farine et arroser avec le lait en remuant.

3. Retirer la peau du fromage. Le couper en dés puis l'ajouter à la sauce, en remuant énergiquement pour qu'il n'attache pas.

Incorporer le vin blanc et le sucre.

4. Mélanger les herbes à la sauce et assaisonner de noix muscade, d'un peu de sel et de poivre.

♦ Cette sauce accompagne bien non seulement les petites galettes de semoule mais aussi les pâtes et les galettes de pommes de terre.

VARIANTE

La sauce au fromage est également savoureuse avec des câpres à la place des herbes ou avec des champignons de Paris et des noix.

Des petites galettes de semoule accompagnées d'une sauce verte au fromage constituent un plat principal.

PIZZA À L'AIL ET AUX CÂPRES

facile à préparer

Ce plat contient environ :
930 cal. Protides 44 g.
Lipides 45 g. Glucides 79 g.

Préparation : 40 mn environ.

Pour la pâte :
- *75 g de fromage blanc maigre*
- *1 cuil. à soupe de lait*
- *100 g de farine de blé, si possible complète*
- *2 cuil. à soupe d'huile d'olive*
- *1 pincée de levure*
- *1 cuil. à café d'huile pour le moule*
- *sel*

Pour la garniture :
- *150 g de mozzarella*
- *2 à 3 cuil. à soupe de concentré de tomates ou 1 tomate fraîche*
- *1 cuil. à café d'origan séché*
- *3 gousses d'ail*
- *1 cuil. à soupe de câpres*
- *poivre noir du moulin*

♦ Les pizza "maison" sont les meilleures. Pour éviter la préparation de la pâte traditionnelle, on peut tricher un peu avec une pâte au fromage blanc, qui demande sensiblement moins de travail et moins de temps.

1. Pour la pâte, bien mélanger le fromage blanc avec l'huile et le lait, saler généreusement.

2. Mélanger la levure et la farine. Prendre la moitié du mélange et la travailler avec le fromage blanc.

3. Préchauffer le four à 250 °C. Bien pétrir cette pâte avec le reste de farine.

4. Huiler un moule d'environ 22 cm de diamètre.

5. Aplatir la pâte avec les mains dans le moule en veillant à ne pas la briser (sans œufs, la pâte est difficile à rouler).

VARIANTES

Vous pouvez donner libre cours à votre imagination pour garnir la pizza : jambon cuit, olives, champignons, artichauts, anchois et moules, mais aussi herbes et fromage de brebis qui relèvent bien la pizza, viande hachée et oignons ou encore saumon et crème fraîche.

6. Répartir le concentré de tomates sur la pâte, saupoudrer d'origan. Couper la mozzarella en tranches et les poser dessus.

CONSEIL !

7. Couper les gousses d'aïl en rondelles fines et en garnir la pizza. Ajouter les câpres et poivrer.

Vous obtiendrez une plus grosse quantité de pâte, en ajoutant 1 œuf. La pâte sera par ailleurs plus facile à travailler.

8. Faire cuire environ 15 mn à 250 °C. Enfourner le plat à mi-hauteur. La pizza est prête quand le fromage est fondu et croustillant.

GRATIN DE MILLET ÉPICÉ

demande du temps

Ce plat contient environ :
740 cal. Protides 38 g.
Lipides 35 g. Glucides 70 g.

Préparation : 1 h 15 environ.

- *2 œufs*
- *50 g de comté râpé*
- *20 g de beurre mou
  pour le moule*
- *100 g de millet*
- *1/4 litre de bouillon
  de volaille*
- *quelques feuilles de sauge*
- *1 pincée de piment
  de Cayenne*
- *poivre du moulin*

1. Faire bouillir le bouillon et y verser le millet en pluie. Laisser gonfler à feu doux environ 20 mn.

2. Pendant ce temps, beurrer au pinceau un plat à gratin, râper le fromage et couper la sauge en petits morceaux. Préchauffer le four à 220 °C.

3. Séparer les blancs des jaunes d'œufs. Pour être travaillé, le millet ne doit pas être trop chaud. Le mélanger avec le fromage râpé et les jaunes d'œufs, poivrer, ajouter le piment de Cayenne.

4. Battre les blancs en neige et les incorporer au millet. Emplir le plat de cette préparation et l'enfourner à mi-hauteur.

5. Laisser cuire à 200 °C environ 40 mn. Le gratin doit rester doré sans brunir.

GRATIN DE RIZ

bon marché - facile

Ce plat contient environ :
760 cal. Protides 10 g.
Lipides 36 g. Glucides 110 g.

Préparation : 10 mn.
Cuisson : 20 mn.

- *250 g de riz cuit
  ou 100 g de riz cru*
- *100 g de crème*
- *1 cuil. à café de romarin
  séché*
- *1 pincée de noix muscade
  fraîchement râpée*
- *1 cuil. à café de sucre*
- *1 pincée de piment
  de Cayenne*
- *1 œuf*
- *20 g de beurre pour le plat*
- *poivre blanc du moulin*

1. Faire cuire le riz dans de l'eau salée ou mettre le riz cuit dans une casserole. Préchauffer le four à 220 °C.

2. Hacher le romarin et assaisonner le riz de romarin, de noix muscade, de sucre et de piment. Poivrer très peu.

3. Mélanger l'œuf et la crème et les incorporer au riz.

4. Beurrer un plat à gratin et l'emplir avec le riz. Enfourner à mi-hauteur et laisser cuire 20 mn, jusqu'à ce que le mélange soit ferme sans être desséché.

*En haut : gratin de riz.
En bas : gratin de millet épicé.*

GRATIN DE POIREAUX ET POMMES DE TERRE

raffiné - long

Ce plat contient environ :
690 cal. Protides 41 g.
Lipides 42 g. Glucides 34 g.

Préparation : 1 h 15 environ.

- *200 g de pommes de terre à chair ferme*
- *1 petit poireau*
- *1 œuf*
- *100 g de fromage râpé*
- *1 cuil. à soupe de crème fraîche*
- *1 filet de jus de citron*
- *1 pincée de noix muscade fraîchement râpée*
- *10 g de beurre pour le plat*
- *sel*
- *poivre noir du moulin*

1. Beurrer un plat à gratin.

2. Mélanger au fouet l'œuf et la crème fraîche.

3. Éplucher les pommes de terre et les couper en rondelles fines avec une râpe à chips directement dans la préparation à l'œuf, pour qu'elles ne noircissent pas.

4. Laver le poireau, retirer les feuilles fanées et les racines et le couper en petites rondelles. L'incorporer aux pommes de terre. Préchauffer le four à 250 °C.

5. Râper le fromage et le mélanger aux pommes de terre. Ajouter la noix muscade, du sel, du poivre et le jus de citron, puis verser dans le plat.

6. Laisser cuire environ 45 mn au four et à couvert 30 mn. Retirer le couvercle pour que le plat gratine les dernières 15 mn.

♦ Ce gratin se suffit à lui-même mais peut servir d'accompagnement à une viande rôtie. Dans ce cas, il convient à deux personnes.

VARIANTE

On peut ajouter d'autres légumes à ce gratin et jouer avec les couleurs : l'orange des carottes (coupées en rondelles très fines), le vert du poireau et le jaune des pommes de terre.

CONSEIL !

On peut utiliser des pommes de terre cuites la veille pour réaliser ce gratin. Elles seront alors coupées en rondelles à l'aide d'un couteau et le temps de cuisson sera réduit de 20 mn environ. Faire cuire éventuellement le poireau rapidement à couvert dans la poêle.

Un plat raffiné, malgré la simplicité des ingrédients : le gratin de poireaux et pommes de terre.

FEUILLETÉS À L'ABRICOT

bon marché - facile

Ce plat contient environ :
360 cal. Protides 5 g.
Lipides 20 g. Glucides 39 g.

Préparation : 20 mn environ.

- *6 demi-abricots
  (en conserve)*
- *60 g de pâte feuilletée*
- *1 cuil. à soupe de farine*
- *un peu de crème fouettée*

1. Préchauffer le four à 225 °C.

2. Fariner un plan de travail et y étaler la pâte sur 3 mm d'épaisseur. Couper la pâte en deux rectangles étroits et garnir chaque moitié avec 3 demi-abricots, partie bombée au-dessus.

3. Poser les feuilletés sur une tôle froide et les faire cuire environ 15 mn. La pâte doit être dorée et croustillante sur le dessus, séchée et plus foncée en dessous.

4. Laisser un peu refroidir les feuilletés et garnir de crème fouettée.

♦Ces feuilletés à l'abricot sont si vite et si facilement faits, qu'il serait dommage de s'en priver.

PETIT GÂTEAU AUX NOISETTES

raffiné - facile

Ce plat contient environ :
520 cal. Protides 13 g.
Lipides 41 g. Glucides 26 g.

Préparation : 30 mn environ.

- *1 œuf*
- *10 g de beurre
  pour le moule*
- *50 g de noisettes
  en poudre*
- *1 cuil. à soupe de sucre
  pour le moule*
- *1 cuil. à soupe rase de sucre*
- *1 goutte de citron*
- *1 cuil. à café de rhum
  ou 1 pincée de levure*
- *1 pincée de cannelle*
- *un peu de crème fouettée*

1. Préchauffer le four à 200 °C.

2. Beurrer le moule. Verser le sucre en inclinant et en tournant le moule de façon à le répartir régulièrement.

3. Battre l'œuf et le sucre vanillé au fouet à main jusqu'à l'obtention d'un mélange épais et crémeux (2 à 3 mn).

4. Incorporer les noisettes, le citron, le rhum et la cannelle.

5. Verser dans le moule et enfourner à mi-hauteur. Faire cuire à 200 °C environ 20 mn. Tester le degré de cuisson un peu avant. Le gâteau doit être brun clair.

6. Démouler le gâteau. L'opération est facile parce que le moule a été beurré et saupoudré de sucre, ce qui rend aussi le gâteau croustillant.

7. Garnir le gâteau refroidi d'un peu de crème fouettée.

♦Ce petit gâteau demande peu de travail et contente une personne au solide appétit. Faites-le cuire dans un petit moule à kouglof ou à flan en métal.

CONSEIL !

Pour vérifier le degré de cuisson, piquez le gâteau avec la lame d'un couteau. Si elle ressort sèche, le gâteau est cuit.

*En haut : petit gâteau
aux noisettes.
En bas : feuilleté à l'abricot.*

MOUSSE AU CHOCOLAT

raffiné - facile à préparer

Ce plat contient environ :
330 cal. Protides 10 g.
Lipides 22 g. Glucides 28 g.

Préparation : 15 mn environ.

- *30 g de chocolat*
- *1 œuf*
- *20 g de crème*
- *1/2 cuil. à café de sucre vanillé*
- *1 cuil. à café de sucre*
- *1 cuil. à café de cognac (facultatif)*

1. Casser le chocolat en morceaux. Le faire fondre au bain-marie avec la crème : mettre le chocolat dans un saladier et placer celui-ci sur une casserole remplie d'un peu d'eau. Le saladier, sans toucher l'eau, ne doit être réchauffé que par la vapeur. L'eau de la casserole ne doit pas bouillir.

2. Séparer le blanc du jaune d'œuf. Incorporer le jaune et le sucre vanillé au chocolat chaud avec le fouet. Retirer la préparation du bain-marie.

3. Battre le blanc d'œuf en neige ferme tout en y ajoutant le sucre et l'incorporer très délicatement au chocolat encore liquide. Parfumer éventuellement avec le cognac.

4. Laisser la mousse au réfrigérateur au moins 30 mn et décorer au choix avec de la crème fouettée et des copeaux de chocolat.

♦ La mousse au chocolat est une merveilleuse crème parfumée qui ne demande pas beaucoup de temps. Vous pouvez utiliser, à votre goût, du chocolat blanc ou amer, du chocolat au lait, aux noisettes etc.

PARFAIT AU MIEL ET À LA CANNELLE

raffiné - facile à préparer

Ce plat contient environ :
220 cal. Protides 1 g.
Lipides 16 g. Glucides 18 g.

Préparation : 5 mn.
Repos : 1 h environ.

- *50 g de crème liquide très froide*
- *1 cuil. à soupe de miel*
- *1/2 cuil. à café de cannelle en poudre*

1. Fouetter la crème jusqu'à ce qu'elle soit très ferme et y incorporer le miel et la cannelle en poudre.

2. Verser la crème dans un petit moule (un petit moule à soufflé ou un ramequin) et le mettre dans le congélateur.

3. Au bout de 1 h à - 18 °C, le parfait est prêt.

♦ Peu de travail pour un effet assuré. Un peu de crème, du miel, de la cannelle, 1 h au froid et voici un parfait qui fond dans la bouche.

♦ Ne le préparez cependant pas à l'avance, car plus il reste longtemps à basse température, plus il durcit. Finalement, il n'est plus aussi "parfait".

En haut : parfait au miel et à la cannelle.
En bas : mousse au chocolat.

CLAFOUTIS AUX RAISINS

raffiné - facile

Ce plat contient environ :
550 cal. Protides 16 g.
Lipides 16 g. Glucides 84 g.

Préparation : 30 mn environ.

- *125 g de raisin blanc sans pépins*
- *1 œuf*
- *10 cl de lait*
- *10 g de beurre pour le moule*
- *40 g de farine (2 grosses cuil. à soupe)*
- *20 g de sucre (1 cuil. à soupe rase)*
- *1 cuil. à café de sucre en poudre pour saupoudrer*

1. Beurrer un petit moule à gratin (18 cm de diamètre environ). Préchauffer le four à 180 °C.

2. Laver le raisin, le sécher et le répartir sur le fond du moule.

3. Mélanger la farine, le sucre et l'œuf. Ajouter le lait et mélanger à nouveau.

4. Verser le mélange sur le raisin et faire cuire 20 à 25 mn au four. Le clafoutis gonfle un peu. Il est cuit quand il prend une couleur brun clair.

5. Le démouler éventuellement sur une assiette et le saupoudrer de sucre en poudre.

♦Le clafoutis classique se prépare avec des cerises noires non dénoyautées. La variante donnée ici doit être préparée avec des grains de raisin sans défaut pour qu'ils ne perdent pas leur jus.

VARIANTE

> **Vous pouvez utiliser tous les fruits. Des pruneaux au vin rouge donnent au clafoutis une petite note de fantaisie : faire bouillir 30 mn à petits bouillons 100 g de pruneaux dans du vin rouge avec un peu de sucre, puis les égoutter et procéder comme indiqué prédédemment.**

GELÉE DE POMME AU KIWI

rapide à préparer

Ce plat contient environ :
120 cal. Protides 1 g.
Lipides 0,3 g. Glucides 30 g.

Préparation : 20 mn environ.
Repos : 30 mn.

- *1 petit kiwi*
- *15 cl de jus de pomme*
- *1 cuil. à soupe de calvados*
- *1/2 cuil. à café de gélatine en poudre*
- *un peu de crème fouettée*

1. Verser la gélatine dans le calvados et laisser gonfler 1 mn. Éplucher et couper en morceaux le kiwi puis le disposer dans une coupe à dessert.

2. Faire chauffer le jus de pomme dans une petite casserole, y ajouter la gélatine et mélanger jusqu'à dissolution totale.

3. Verser le jus de pomme sur le kiwi, laisser refroidir et mettre 30 mn au réfrigérateur.

4. Servir avec un peu de crème fouettée.

♦Vous pouvez remplacer le kiwi par de la poire arrosée de jus de citron ou n'importe quel fruit rouge frais ou en conserve, au choix.

En haut : clafoutis aux raisins.
En bas : gelée de pomme au kiwi.

index

L'édition originale
de cet ouvrage a été publiée
sous l'intitulé Für singles.
Par Gräfe und Unzer
GmbH,
München

© 1991 Gräfe und Unzer
GmbH, Munchen.

© 1992 Hachette / cil, Paris
pour l'édition française.

Tous droits de traduction,
d'adaptation
et de reproduction totale
ou partielle, pour quelque
usage, par quelque moyen
que ce soit, réservés
pour tous pays.

Traduction :
Elisabeth Fortunel

Secrétariat d'édition :
Sylvie Gauthier

Maquette :
Pascale Desmazières

Dépôt légal : Janvier 1992
N° d'éditeur : 650
ISBN : 2.0101.8990.6

Impression : Canale
Turin, Italie